D0673543

# Un voilier dans le cimetière

## Du même auteur

*La Grande Catastrophe*, Héritage
*Un chameau pour maman*, Héritage

Lucie Bergeron

# Un voilier dans le cimetière

*roman*

Boréal

Les Éditions du Boréal sont inscrites au Programme de subvention globale du Conseil des Arts du Canada.

Maquette de la couverture: Rémy Simard
Illustrations: Geneviève Guénette


Dépôt légal: 4e trimestre 1993
Bibliothèque nationale du Québec

Diffusion au Canada: Dimedia
Distribution en Europe: Les Éditions du Seuil

*Données de catalogage avant publication (Canada)*

Bergeron, Lucie, 1960-

Un voilier dans le cimetière: roman

(Boréal junior; 27)

ISBN 2-89052-565-1

I. Guénette, Geneviève. II. Titre. III. Collection.

PS8553.E67834V64 1993 jC843'.54 C93-097180-9
PS9553.E67834V64 1993
PZ23.B47Vo 1993

*À mon fils Gabriel*

# 1

# La ronde des émotions

Depuis ce matin, j'ai mal au cœur. Rien ne m'intéresse. À vrai dire, je me sens tout drôle. J'aimerais me coucher en boule et pleurer. Mais en même temps, je pousserais des hurlements de joie et je sauterais sur mon lit jusqu'à toucher le plafond.

La vie est compliquée des fois. Aujourd'hui, j'ai un immense chagrin, aussi grand que l'océan Pacifique, aussi puissant que les vagues des grandes marées qui submergent tout.

Mon grand-père est mort. Hier, je suis allé à ses funérailles. Et je ne réussis pas à me consoler.

Alors, je ne sais pas quoi faire de la grande joie qui me donne envie de sourire. Une joie si éclatante qu'elle me rappelle le fleuve qui brille sous le soleil en plein été.

Je suis heureux parce que mon meilleur ami, Mathieu, déménage à deux rues de chez moi. Nous allons pouvoir enfin nous amuser ensemble tous les jours, commencer notre cinquième année à la même école, nous rendre visite à sept heures du matin comme à huit heures du soir.

Dès que je nous imagine, j'ai le goût de rire. Mais je vois aussitôt grand-papa assis sur sa galerie et je redeviens triste. Alors, comme je ne sais plus à quoi penser, je vais sauter sur mon lit... en pleurant.

—Lodi saute!... Saute!

J'avais tellement la tête ailleurs que je n'ai pas vu ma petite sœur entrer dans ma chambre. Elle me regarde d'un air impatient en donnant des tapes sur le matelas.

J'essuie vite mes larmes du revers de ma manche et lui réponds:

—D'accord, Élodie, mais je veux juste pour cette fois. Viens que je t'aide à monter. Et on va sauter ensemble.

Élodie me tend aussitôt la main avec un grand sourire. Elle n'a que deux ans, mais elle comprend très vite! Je l'agrippe par sa salopette et la hisse avec peine à côté de moi. Ce n'est pas un poids plume, ma sœur. Avec toutes les bouteilles de lait qu'elle engouffre, elle est en train de se transformer en kilos de beurre!

—Lodi saute!

On peut dire qu'elle a de la suite dans les idées, celle-là! Je commence par de faibles bonds. Elle me regarde et pointe son doigt vers le haut. Elle prend vraiment mon lit pour un trampoline.

Je nous fais donc rebondir beaucoup plus fort. Élodie se met à rire et à rire encore. Elle saute en criant de

joie tandis que sa toute petite main serre très fort la mienne. Je me sens fier parce que je sais qu'elle a confiance en moi. Tant que je tiendrai sa main, elle n'aura pas peur de voler vers le plafond.

Des coups répétés à ma fenêtre me font brusquement détourner la tête. C'est Mathieu! Le nez écrasé contre la vitre, il me fait signe d'aller lui ouvrir la porte. Enfin! J'avais tellement hâte qu'il arrive pour souper.

—Viens, Élodie. On y va!

Heureusement, ma sœur a eu son content de bonds dans l'espace. Elle descend du lit avec moi, fait quelques pas de travers parce qu'elle est étourdie, et se précipite vers l'entrée. Élodie adore la visite. Et moi, mon mal de cœur s'est envolé.

## 2

# Comme un grand trou dans le cœur

Après le repas, je retourne dans ma chambre en compagnie de Mathieu pour lui montrer ma dernière construction: un paquebot de croisière modèle réduit.

—Wow! C'est magnifique! Tu en as eu de la patience pour coller tous ces petits morceaux.

—Je n'ai terminé que le pont avant. Je dois aussi assembler le pont promenade avec les cheminées, l'antenne radar, la piscine, les chaloupes de sauvetage. Je prévois encore plusieurs heures de travail. Quand grand-papa aura le temps...

Je suis incapable de terminer ma phrase. Je n'ai pas réfléchi et c'est venu tout seul à propos de grand-papa. Très souvent, je me rendais chez lui et nous nous installions à la table de la cuisine pour construire des bateaux. C'était notre passion. Grand-papa avait même dû installer des étagères tout le tour de son salon pour exposer nos navires.

J'ai la gorge serrée. Encore une fois, je me rends compte que grand-papa ne sera plus jamais là.

— Ça fait mal de perdre quelqu'un qu'on aime, hein? dit Mathieu en s'assoyant sur le lit.

Je hoche la tête en me mordant les lèvres. Mais quand vais-je donc cesser d'avoir envie de pleurer?

— Moi aussi, j'ai eu une peine immense quand maman est morte il y a quatre ans. Je pensais à elle tout le temps.

— Toi, sentais-tu comme un grand trou dans ton cœur?

—Pas tout à fait. Moi, j'avais plutôt l'impression qu'une grosse main glacée le serrait très très fort. Je voyais ma maman partout. J'entendais sa voix dans ma tête.

—Tu crois, Mathieu, qu'on réussit à se consoler un jour?

Il prend le temps de réfléchir puis répond:

—Oui, mais c'est très long. Il faut se donner des trucs... Tu sais, après la mort de maman, j'aurais pu remplir une piscine olympique avec mes larmes! Puis un matin que je regardais sa photo, j'ai compris que même pleurer ne la ferait pas revenir. Alors j'ai décidé, premièrement, de ne plus l'imaginer couchée dans sa tombe. Puis j'ai choisi le meilleur souvenir que j'avais d'elle.

Mathieu sourit.

—C'est quand j'étais petit et que maman me racontait des histoires d'animaux sauvages. Dans ce temps-là, je me collais très fort contre elle, bien au chaud dans le creux de son épaule. Je ne me souviens plus vraiment de son visage, mais je sens encore son parfum de muguet quand je m'endors le soir... Essaie, toi aussi, Francis, me propose-t-il.

Je n'ai pas à chercher très longtemps mon meilleur souvenir de grand-papa. C'est quand nous marchions tous les deux jusqu'au Vieux-Port et que nous regardions les cargos accoster au quai et les fins voiliers se battre avec le vent.

Grand-papa, c'était une vraie encyclopédie de la mer. Il connaissait tout sur les différentes profondeurs du fleuve, ses courants et ses marées, sur les navires, leur cargaison, leur provenance, leur équipage. Il regardait vers l'île d'Orléans et son sourire s'élargissait. Quand il avait fini de parler, nous restions quelques minutes bien droits, face au vent vif, à respirer l'air du large.

—Je crois que grand-papa aurait vraiment aimé naviguer.

—Je suis certain qu'il aurait fait un très bon capitaine, ajoute mon ami en souriant.

Je suis si content que Mathieu soit là. Je sais que je peux tout lui dire. Parfois, j'ai l'impression que nous sommes des jumeaux tellement il me comprend.

—Si on allait se promener? Je t'emmène faire le tour de ton nouveau quartier.

—Bonne idée! Et n'oublie pas de m'indiquer où se trouve le dépanneur. Je veux absolument compléter ma collection de cartes de joueurs de base-ball avant que le hockey recommence.

—Alors, par ici pour la visite guidée, dis-je en rajustant ma casquette. En avant pour le parc!

Heureusement qu'Élodie est dans son bain parce que je suis certain qu'elle aurait voulu nous accompagner... Je l'aime bien, ma petite sœur. Mais justement elle est si petite qu'elle ne comprend pas que, des fois, les grands, ils préfèrent sortir entre eux. De quoi j'aurais l'air, moi, s'il fallait que je traîne partout une puce de deux ans?

# 3

# Quand trois et quatre font sept

En descendant vers le bas de la rue, je confie à Mathieu combien je suis heureux de son déménagement.

—En tout cas, c'est une vraie chance que ton père ait décidé de venir habiter par ici.

—Une chance, oui, parce que c'est ce que je voulais le plus au monde. Mais une malchance aussi. Parce que je ne m'attendais pas à ce qu'il en profite pour emménager avec son amoureuse!

Arrivés au parc, nous courons nous asseoir sur les balançoires et je lui fais remarquer:

—Pourtant tu la connais depuis longtemps, Annie. Tu m'as toujours dit qu'elle était gentille.

—Oui, oui, elle est gentille... Ce n'est pas vraiment elle qui me dérange. Mais ses trois filles! Je suis obligé d'habiter avec elles. Tu imagines? Avec mon frère Sylvain, on va se retrouver SEPT dans l'appartement. Je n'aurai pas un moment de tranquillité. Et surtout qu'il y en a deux plus jeunes que moi. Il va falloir que je cache mes cartes de base-ball, sinon elles vont toutes les mêler!

—C'est sûr que de passer de trois à sept...

—Hé! Tu ne devineras jamais comment elles s'appellent. Écoute ça! Violette, Jeannette et Juliette!

—Pas vrai? Rien que des noms en ette!

—Et comme leur nom de famille commence par un *b*, je les appelle les trois bettes! Ça les fait enrager...

ajoute-t-il avec un sourire moqueur.

Nous éclatons de rire. Tellement que j'en tombe de ma balançoire. Après avoir repris mon souffle, je lui demande:

—Et toute la charmante petite famille emménage demain?

—Oui, papa et Annie devraient alors avoir fini de placer les meubles. Les bettes sont chez leur grand-mère et, moi, j'ai réussi à leur échapper en venant dormir chez toi. Je n'avais vraiment pas envie de passer mes dernières heures de congé dans les boîtes du déménagement!

En marchant vers le dépanneur, Mathieu m'explique que, depuis un mois, les caisses n'arrêtaient pas de s'empiler dans tous les coins de leur appartement. Il en a empaqueté des verres, des assiettes, des casseroles, des vêtements d'hiver, des vêtements d'été, des tonnes de revues et des centaines de kilos de livres. Trop occupé, son père n'avait plus le temps pour aucune activité avec lui. Et comme j'étais en camping avec mes parents ou au terrain de jeux, Mathieu n'avait personne à qui parler. D'autant plus que même tous ses copains de là-bas étaient partis.

—Je n'ai jamais passé un été aussi ennuyeux, conclut-il d'un air maussade en entrant dans le petit magasin.

À côté des cartes de sport, Mathieu découvre des tarentules en jujube qu'il n'a pas encore eu le loisir de goûter. Nous en choisissons une grosse vert fluorescent et le vendeur la met du bout des doigts dans un sac de papier.

Une fois sortis, Mathieu me fait observer:

—As-tu vu comment il a pris l'araignée? On dirait qu'il avait peur de se faire piquer!

—Touches-y, tu vas comprendre pourquoi.

Mathieu plonge sa main dans le sac et...

—Yeurk! C'est bien gluant. Encore plus que les vers de terre en jujube... Mais ça veut dire que c'est dix fois meilleur, ajoute-t-il avec gourmandise.

Nous nous partageons l'araignée puis, assis sur le bord du trottoir, nous dégustons lentement chacune de ses pattes. C'est tellement agréable de ne pas être obligé de se presser. Avant aujourd'hui, nous n'avions jamais assez de temps ensemble: l'un ou l'autre devait toujours retourner trop tôt chez lui. Pas moyen de terminer un seul jeu!

Maintenant, je sais que Mathieu sera là demain et après-demain et après-après-demain. Je ne pourrai plus m'ennuyer de lui puisqu'il habitera tout près. Deux coins de rue, c'est presque la maison voisine. Rien ne pourra nous séparer.

Mais, c'est justement ce que je croyais pour grand-papa et moi...

—Qu'est-ce qu'il y a, Francis? me demande Mathieu en constatant que

RTK 112

j'ai arrêté de manger. La tarentule n'est pas bonne?

Je lui réponds d'un air absent:

—Je n'ai plus faim tout d'un coup... On va en face?

Bien d'accord, Mathieu s'avance pour traverser la rue. J'aperçois alors une voiture qui arrive à toute vitesse et je prends peur. J'agrippe mon ami par l'épaule et le ramène brusquement vers le trottoir en criant:

—Attention! Es-tu malade? Tu veux te faire écraser?

Mathieu se retourne vers moi et me dévisage en se croisant les bras, l'air impatient.

—Voyons, je voulais seulement regarder! Je ne suis pas assez fou pour me jeter devant l'auto. Elle n'allait même pas vite, en plus. Te prends-tu pour mon père? Qu'est-ce qu'il y avait donc dans ta moitié d'araignée?

Je détourne la tête. Je suis incapable de lui répondre. Ma lèvre tremble et j'ai de la difficulté à avaler.

—Qu'est-ce qui se passe, Francis?

Je pousse un long soupir et lui réponds tristement:

—C'est... c'est parce que, tout à l'heure, je me disais que rien ne pourrait nous séparer maintenant que nous habitons dans le même quartier. Puis j'ai pensé à grand-papa. Avant qu'il meure, je ne voulais pas croire qu'il pourrait me quitter. J'imaginais qu'il serait là toujours.

—Et quand tu as vu la voiture, poursuit Mathieu devinant mes pensées, tu as eu peur que je me fasse frapper et que je disparaisse moi aussi. J'ai raison?

Je fais signe que oui.

—Je sais que tu aimais beaucoup ton grand-père et qu'il est mort. Mais ça ne veut pas dire que je suis automatiquement le prochain sur la liste. La mort, ce n'est pas comme une rangée de dominos. Ce n'est pas parce qu'on pousse le premier que tous les autres tombent.

Des fois, Mathieu, il dit vraiment des choses surprenantes.

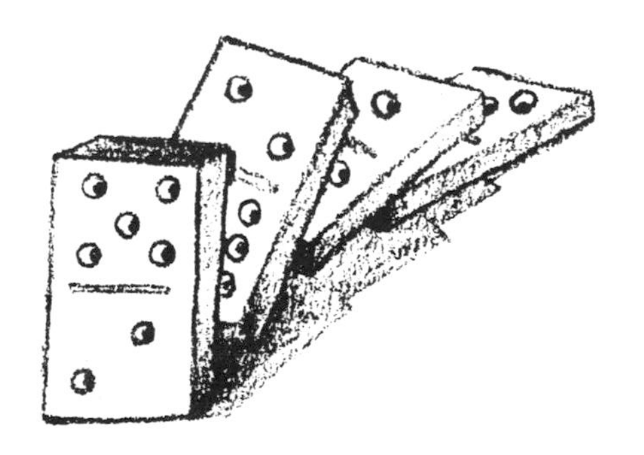

# 4

# Le circuit de l'aventure

Devant l'épicerie de la rue voisine, je suggère à Mathieu de toujours se porter volontaire pour les commissions:

—Penses-y. Quel bon truc pour échapper aux trois bettes! En marchant lentement, tu peux gagner une demi-heure de tranquillité.

—Peut-être même plus... si j'échappe l'argent sur le trottoir, ajoute Mathieu d'un air malicieux. Ou si mon pied reste pris dans une grille d'égout, ou...

—Ou si tu aides toutes les personnes âgées d'un foyer à traverser la rue!

—Oui, ce n'est pas bête ton idée, Francis. Je crois que je vais commencer tout de suite à inventer une collection de raisons pour expliquer mes retards.

—Maintenant, j'ai une surprise pour toi. Je vais te faire découvrir mon chemin secret, mon parcours d'obstacles, mon circuit de cascades!

—Wow! Où ça?

—Juste à côté, à quelques maisons d'ici. Je te le dis, on se croirait dans un vrai film d'aventures. Il ne faut surtout pas que le propriétaire nous remarque. Il déteste les enfants! Je n'y vais donc jamais sans ma casquette noire.

—Je comprends pourquoi. Avec ta tête d'orange pressée, il te verrait venir du coin de la rue!

Il y a seulement de Mathieu que j'accepte les farces à propos de la couleur rousse de mes cheveux. Qu'il n'y en ait pas un qui m'appelle citrouille d'Halloween ou jus de carottes parce que...

—Toi, en tout cas, tu n'en as pas besoin. On dirait que tu as une bouse de vache sur la tête!

—Oh non! Tu trouves toi aussi que j'ai l'air fou! s'écrie mon ami, découragé. Papa ne veut pas comprendre qu'il n'a aucun talent pour la coiffure. C'est comme s'il m'avait mis un bol sur la tête pour me couper les cheveux! Je ne veux plus qu'il me touche.

—Chut, Mathieu! On est arrivés... Es-tu prêt?

Il me répond par un oui volontaire. Comme un matelot à son capitaine.

Nous commençons par longer les murs d'un hangar. Puis nous nous glissons sous une clôture. La broche métallique passe à quelques centimètres seulement de nos yeux.

Nous voici donc dans la cour de l'ennemi. À l'approche du danger, ma respiration s'accélère. Je tourne ma casquette vers l'arrière et je rampe jusqu'à une grosse poubelle de métal cabossée sur laquelle je grimpe. À bout de bras, je me hisse sur le toit d'un garage abandonné. Mathieu me rejoint en quelques secondes.

Nous attaquons maintenant la partie la plus périlleuse du parcours: traverser debout et bien à découvert ce toit en pente tout en évitant de marcher sur les clous qui pointent vers le ciel.

Mes mains sont moites, mon front, couvert de sueur. Même si je connais le circuit par cœur, je trouve beaucoup plus excitant de l'effectuer aux côtés de Mathieu. Je crois qu'il n'y a rien de mieux que de partager une aventure avec son meilleur ami.

Je me redresse lentement, décidé à avancer. Mais juste à ce moment, j'entends le bruit d'une porte qui s'ouvre. Sauve qui peut! Je me jette à plat ventre sur le toit. Mathieu fait de même et je reçois lourdement sa tête sur mon mollet gauche. Tous les

deux nous étouffons un cri de douleur. À un centimètre de mon épaule brille un long clou très pointu.

Je n'ose ni bouger ni regarder vers la maison. Mon cœur bat plus vite qu'un message en morse envoyé par un télégraphiste. J'attends, résigné, que le propriétaire nous découvre et pique une terrible colère.

Après une minute interminable, j'entends Mathieu qui chuchote:

—Francis... Francis... La voie est libre. Aucun ennemi en vue.

Je relève la tête avec précaution... et je ne vois en effet personne. Je pousse un long soupir de soulagement puis je m'accroupis.

—On l'a échappé belle, Mathieu. J'ai eu une de ces peurs.

—Moi, j'ai une de ces bosses, dit-il en se frottant le front... On continue? ajoute mon ami, les yeux brillants.

En guise de réponse, je me mets debout et commence à traverser le toit rendu glissant par la chaleur. J'avance à petits pas, tous mes sens aux aguets.

J'ai l'impression d'être un de ces marins qui grimpaient dans la mâture des bateaux pour aller y dérouler les voiles et qui marchaient pieds nus sur les longues vergues de bois. Ils devaient avoir ce même souci de conserver un bon équilibre et aussi ce même serrement au ventre à la pensée qu'ils pouvaient tomber et aller s'écraser sur le pont. Mais comme Mathieu et moi, ils étaient braves et continuaient d'avancer.

Nous arrivons enfin à l'autre extrémité du toit. Cette fois-ci, il n'y a pas de poubelle pour descendre. Mathieu me demande comment nous allons faire.

—C'est très simple. Tu vois la grosse branche de l'érable à côté du garage? Celle qui est la plus basse? Tu sautes et tu l'attrapes. Après, ce n'est plus très haut. Et on se retrouve dans la cour voisine.

Mathieu me regarde, les yeux écarquillés. Il avale sa salive puis me dit:

—Tu veux que je me jette dans le vide?... Comme ça!

Il se gratte la tête puis ajoute admiratif:

—C'est une vraie de vraie cascade, celle-là.

—Je te l'avais dit que c'était comme dans un film d'aventures!

Je place mes pieds bien à plat sur le bord du toit, balance mes bras en avant, en arrière, et je saute. Comme d'un plongeoir. Mes mains se referment sur la branche. Je profite quelques secondes du plaisir d'être suspendu, puis je me laisse tomber comme un chat.

—À ton tour, maintenant! dis-je à Mathieu en me retournant vers lui.

Mon ami se concentre, fixe la branche, amorce son élan, puis...

—Eh! toi! Qu'est-ce que tu fais là sur mon garage? hurle une voix d'homme.

Surpris par les cris, Mathieu se fige sur place. À grands gestes, je lui fais signe de se dépêcher. Alors, sans avoir eu le temps de se préparer, il s'élance vers l'arbre et attrape de justesse la branche. Mais sa prise n'est pas assez solide et il tombe lourdement sur le sol.

Il reste recroquevillé sur lui-même et ne bouge plus. Mon meilleur ami ne bouge plus! Affolé, je me précipite vers lui et le secoue par l'épaule en criant:

—Mathieu! Mathieu! Qu'est-ce que tu as? Dis-moi que tu n'es pas mort. Mathieu!

Un long moment de silence puis mon meilleur ami entrouvre un œil en murmurant:

—Non... je ne suis... pas mort. Tu ne te souviens pas... ce que je t'ai dit... à propos des dominos?

Je suis tellement heureux de l'entendre que j'éclate de rire.

—Arrête, Francis, me supplie Mathieu en se lamentant. Tu me fais rire... Et ça me fait trop mal quand je ris, ajoute-t-il en s'assoyant avec difficulté. Ouille... c'était toute une cascade.

Il se repose encore un peu puis nous enjambons une dernière clôture.

—Tu sais qu'il me reste un endroit à te montrer? lui dis-je d'un air angélique. Une grande bâtisse où tout le monde adore aller. Après-demain, une foule de petites jambes et de grands sourires s'y rendront avec l'espoir au cœur... qu'il y ait une bombe qui fasse tout sauter!

—L'ééé...cole! s'exclame Mathieu en grimaçant.

* * *

Après cette visite, nous retournons chez moi. Nous engloutissons chacun cinq biscuits à la noix de coco et un grand verre de lait bien froid. Dans ma chambre, je retire la couverture de mon lit et je la suspends au-dessus de nos sacs de couchage étendus sur des matelas pneumatiques.

—Et voilà! Une nuit sous la tente. Il ne manque que les moustiques!

—C'est génial! réplique Mathieu en allumant sa lampe de poche. J'aurai au moins fait du camping cet été!

Nous parlons encore pendant des heures. Après notre dixième crise de fou rire, papa vient nous avertir qu'il est temps de faire silence. Ce qui a pour effet, sans raison, d'en déclencher une onzième!

Juste avant de m'endormir, je repense à grand-papa et je me sens un peu mal à l'aise de m'être autant amusé. Mais je revois son visage, et son grand sourire qui s'élargissait quand, après la classe, j'allais le retrouver chez lui et que je lui racontais les folies que j'avais faites dans la journée.

En s'essuyant les yeux, il me disait qu'il n'y avait rien de mieux qu'une bonne secousse de rire pour rester en santé. Alors, je cherchais dans ma tête tout ce que j'avais vu de comique depuis le matin et même parfois j'en inventais pour réussir à le faire rire. Comme ça, j'espérais le garder avec moi encore plus longtemps...

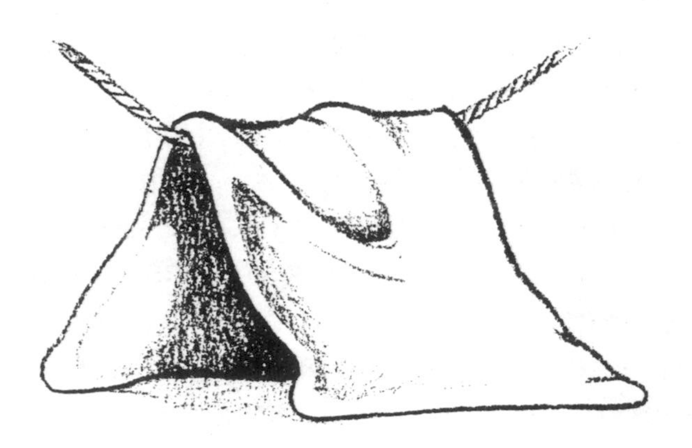

# 5

# Deux pour le prix d'une!

Ce matin, l'école commence. La dernière journée de vacances a filé comme un hors-bord sur une mer calme. Je ne l'ai pas vue passer! À vrai dire, j'ai un tout petit peu hâte de retourner en classe. Je m'explique: c'est certain que je n'ai pas le goût de rester assis pendant des heures à écouter un professeur me parler de fractions ou de conjugaison de verbes au passé composé.

Cependant, je suis impatient de retrouver mes copains et d'arriver avec Mathieu. Quand ils vont le voir arrêter le ballon dans le but de soccer, je suis certain qu'ils vont tous vouloir devenir ses amis.

Le téléphone sonne et je vais répondre. C'est Mathieu, l'air contrarié. Je lui demande d'un ton moqueur:

—Qu'est-ce qui se passe? Tu n'arrives pas à retrouver ton sac d'école?

—Très drôle! Tu te doutes bien que mon père m'avait prévenu de ne pas le ranger trop loin... Je suis assez en colère.

—Pourquoi?

—Parce que papa m'oblige à reconduire les deux bébés bettes à l'école! Il paraît que j'ai des responsabilités comme grand frère. On ne m'avait pas dit ça que j'allais faire la gardienne d'enfants, moi!

Alors, là, son père, il exagère! Il sait pourtant ce que ça signifie pour nous deux de pouvoir enfin partir ensemble. Il aurait pu au moins nous laisser notre premier matin.

—On dirait bien qu'on n'a pas le choix, Mathieu, lui dis-je après m'être résigné. De toute façon, des petites filles, ça ne me fait pas peur. J'ai pris le tour avec Élodie.

—Tu es vraiment mon meilleur ami, Francis. Je t'attends.

Deux tout petits coins de rue à marcher, et déjà je suis arrivé chez Mathieu. Au sommet d'un interminable escalier en colimaçon, je sonne à la porte. Il vient m'ouvrir.

—Entre une minute. Je vais chercher mes petites bettes, et on part, ajoute-t-il avec un sourire forcé.

Devant moi, il y a un long corridor. Long et très étroit. Parce que des quantités de caisses de toutes les grosseurs occupent le passage. J'ai l'impression que la famille de Mathieu n'a pas fini de chercher ses affaires!

Après avoir verrouillé la porte d'entrée, nous partons tous pour l'école. Les demi-sœurs de Mathieu marchent devant et nous les suivons. Juliette a six ans et entre en première année, tandis que Jeannette commence la deuxième. C'est incroyable comme elles se ressemblent: les mêmes cheveux blonds coupés aux épaules, les mêmes yeux bleus délavés et, pour compléter le tout, les mêmes vêtements neufs. Elles sont presque identiques! On dirait que leur mère les a eues dans un solde deux pour un!

Curieuse, Jeannette pose des questions sans arrêt, et Mathieu lui dit de se taire... sans arrêt. Juliette, elle, avance en silence. Je crois qu'elle a un peu peur. Je me souviens que je ne me sentais pas beaucoup plus brave qu'elle à son âge. Je me voyais si petit à côté des grands de sixième.

Rendu dans la cour d'école, je retrouve mes copains du quartier. Je me retourne pour leur présenter Mathieu et je me rends compte qu'il a disparu. Nous formons alors les rangs, et je suis obligé d'entrer.

Tous les élèves se rassemblent

dans le gymnase où chaque professeur doit appeler sa classe.

—Resalut! dit Mathieu en arrivant près de moi.

—Où étais-tu passé?

Il me répond en maugréant un peu:

—Je suis allé voir si les deux bettes ne s'étaient pas perdues. Elles sont tellement tête en l'air qu'il faut que je les surveille comme un chien de berger! Ça m'énerve...

Le directeur vient interrompre notre conversation en exigeant le silence. Il commence son discours annuel pendant que, moi, je me demande à quoi peut bien ressembler la troisième bette?

# 6

# Un grand frère pas si méchant

La première journée d'école me semble interminable. J'ai perdu l'habitude de rester immobile et concentré pendant des heures. Dans l'après-midi, le soleil tombe droit sur mon pupitre et je n'ai qu'une envie: celle d'aller courir avec Mathieu sous les arrosoirs du parc.

À la récréation de l'après-midi, nous commençons à diviser les équipes de soccer. Mais une fois encore, je n'arrive pas à retrouver Mathieu. Il a le tour de disparaître comme un bateau fantôme!

—Où est-ce qu'il est, ton prétendu

champion gardien de but? me demande Marco, le plus insolent de la classe. Il s'est sauvé? Il a trop peur du ballon?

Un niaiseux pareil, ça ne vaut pas la peine de lui répondre! Je lui tourne carrément le dos et pars à la recherche de Mathieu. Après avoir fait le tour de la cour des grands, je me décide à aller regarder du côté des plus jeunes. C'est là que j'aperçois mon ami.

Mathieu s'est accroupi, et parle à Juliette. Il a posé sa main sur son épaule. On dirait qu'elle a pleuré parce qu'elle est toute rouge. Je vois qu'elle hoche la tête pour dire oui. Alors, Mathieu se relève, et essuie les yeux de Juliette avec sa manche. Puis il lui passe une main sur la tête et lui fait un grand sourire d'encouragement.

Je me dépêche de retourner dans la cour des grands pour ne pas qu'il pense que je l'observais. Quelques

instants plus tard, il vient me rejoindre.

—Francis! Enfin, tu es là. Je... je ne trouvais plus notre classe, explique Mathieu d'un ton faussement naturel. Je me suis perdu chez les petits et, évidemment, il a fallu que je tombe sur une bette. Je n'en reviens pas comme c'est bébé à l'âge de Juliette. Elle pleurait parce qu'elle s'ennuyait de sa mère! Te rends-tu compte?

Je lui demande innocemment:

—Qu'est-ce que tu as fait? Tu as été obligé de la consoler?

—Moi? Consoler une bette? Jamais de la vie!

—Comment t'en es-tu débarrassé alors?

En évitant de me regarder, il répond d'un ton décidé:

—Je lui ai dit de s'arranger avec ses problèmes... Et de chercher quelqu'un d'autre pour moucher son nez!

À ce moment-là, la fin de la récréation est sonnée. Mon ami prend alors un air affairé et se dirige à grands pas vers la porte. Ce qu'il peut être drôle, Mathieu, quand il me raconte des mensonges! Dans le fond, il les aime peut-être un peu ses sœurs toutes neuves.

Le reste de l'après-midi s'égrène très lentement. Comme si les aiguilles de la grande horloge tournaient encore au rythme des vacances et n'étaient pas du tout pressées. Pourtant, quand je suis en congé, le temps passe aussi vite qu'un billot de bois emporté par la débâcle au printemps.

Chaque année, avec grand-papa, j'allais aux chutes Montmorency après la fonte des neiges. Elles sont très grosses à cette période de l'année. Ça m'impressionnait toujours de voir bondir toute cette écume blanche. Nous ne pouvions pas nous approcher trop près parce que nous aurions été trempés en quelques secondes. Mais j'avançais juste assez pour que mon visage se laisse recouvrir peu à peu par la bruine froide. Grand-papa l'appelait notre baptême du printemps...

Mathieu vient interrompre mes rêveries en me demandant:

—As-tu décidé de coucher à l'école? Tout le monde s'en va, Francis.

—Quoi? C'est fini? J'arrive!

En sortant, je lui demande:

—Est-ce qu'il faut attendre Juliette et Jeannette?

—Non, pas du tout. Heureusement, je n'ai pas pris un abonnement avec elles. Elles sont à la garderie scolaire. Papa va venir les chercher après son travail.

Je me racle la gorge puis je lui dis:

—Tu sais, je t'ai vu tout à l'heure.

—Évidemment, on a passé la journée dans la même classe!

—Non, tout à l'heure, dans la cour...

—À la récréation? demande-t-il mal à l'aise.

—Oui... Avec Juliette...

Mais je ne lui laisse pas le temps de répliquer et j'ajoute:

—Mathieu, ça ne me dérange pas que tu t'occupes des petites bettes. Je te jure que je ne le dirai à personne.

—Je te crois, Francis. Mais je ne veux surtout pas que papa l'apprenne.

—Pourquoi? Il doit être content que tu t'entendes bien avec les filles.

—Justement! Je ne veux pas qu'il soit content. Papa a décidé, sans me demander mon avis, de s'installer avec Annie et ses enfants. Quand il me l'a appris, il avait déjà loué l'appartement. C'est certain que je suis heureux d'habiter à côté de chez toi, mais j'aurais voulu en parler d'abord avec lui. Ce n'est pas facile de se retrouver tout d'un coup avec trois sœurs et une mère. Je veux qu'il comprenne que j'existe! Je ne vais pas tout accepter avec le sourire en disant «oui, papa chéri»!

—Il me semble que ton père décide souvent pour toi, hein?

—Tout le temps!

—Mais si tu es désagréable avec les filles, tu ne penses pas que tu vas te faire disputer pour rien?

—Je m'en fiche!

Nous continuons à marcher en silence. Je me rends compte que Mathieu est réellement en colère contre son père. Comme je ne l'ai pas vu de l'été, je ne savais rien de cette histoire. Ça m'ennuie vraiment d'apprendre que mon meilleur ami est malheureux. Mais j'ignore ce que je peux faire pour l'aider.

Quand grand-papa était là et que je me disputais avec papa ou maman, j'allais le voir: il habitait juste en haut de la rue. Lorsqu'il faisait beau, il s'installait sur sa galerie et fumait sa pipe. Je ne sais pas à quoi il pensait, mais il ne semblait pas trouver le temps long.

Je marmonnais un petit bonjour puis je m'assoyais sur la première marche de l'escalier. Et grand-papa me disait alors: «Raconte, Francis.» C'était la phrase magique. Je lui expliquais tout ce qui s'était passé. Je lui répétais même les gros mots que j'avais criés. Et ça n'avait jamais l'air de le choquer.

Quand j'avais fini mon histoire, je me sentais beaucoup mieux. Je n'arrive pas à me souvenir ce que grand-papa disait ensuite. Mais je sais que, lorsque je le quittais, je n'étais plus du tout fâché.

Si grand-papa vivait encore, j'irais lui rendre visite ce soir et je lui parlerais du problème de Mathieu. Je suis convaincu qu'il trouverait une solution pour que mon meilleur ami ne soit plus en colère contre son père. Mais je suis tout seul maintenant, et même moi je n'ai plus personne pour m'aider à y voir clair.

# 7

# Tête première pour grand-papa

Pendant que je réfléchissais, Mathieu s'est mis à pousser du pied un gros caillou. Au moment où celui-ci dévie dans ma direction, je le rattrape du pied droit et l'envoie des mètres plus loin. Mathieu se précipite pour le frapper à son tour et je lui crie:

—Mathieu! La passe!

Je l'arrête de justesse du bout du pied gauche puis le fais rebondir encore plus loin. Mais Mathieu ne court pas assez vite et c'est quelqu'un d'autre qui vient stopper le caillou. Le grand Marco qui flânait sur le trottoir me lance d'un ton arrogant:

—Hé! O'Reilly, il n'est pas très fort, ton ami-super-champion-gardien-de-but! Il ne réussit même pas à arrêter une roche. Tu es certain qu'il n'est pas le champion d'une équipe de bébés encore aux couches?

—Tais-toi donc, Marco le poteau! On ne t'a pas demandé ton avis, lui dis-je en me plantant devant lui.

—Oh! mon Dieu, que j'ai peur, répond-il en se moquant. La salade de carottes qui s'énerve. Au secours!

Mathieu doit me retenir par le bras pour que je ne me jette pas sur Marco qui continue à ricaner.

—Laisse-le faire, Francis, me chuchote mon ami. C'est évident qu'il fait tout pour te provoquer. Viens, on va s'en aller.

Je me retourne pour partir quand j'entends Marco ajouter:

—C'est ça, va-t'en, cheveux rouges. Ça ne m'étonne pas. Je sais

de qui tu tiens. Vraiment tous pareils, ces Irlandais-là, une belle bande de peureux. Mon père, il me l'a dit que la famille de ton grand-père s'était sauvée de son pays. Ils avaient peur de tout, même de se voir dans un miroir!

Trop, c'est trop! Il a osé dire du mal de grand-papa! Je me retourne d'un coup sec, le visage en feu. Et je fonce tête première dans l'estomac de Marco. Je fais si vite qu'il n'a pas le temps de réagir. Son rire qui sonne à mes oreilles s'achève par un hoquet.

Je bascule avec lui sur la pelouse et je m'étale de tout mon long, le nez dans sa ceinture. C'est à ce moment-là que j'entends Mathieu crier:

—Francis, ar...rêêête!

Je relève la tête lentement... Oh! que ça fait mal... Et ça tourne... J'ai l'impression d'avoir foncé dans un iceberg. Je pose ma main sur ma tête. On dirait que chacun de mes cheveux est sensible. Je n'ai pas la force de me lever. Alors, je me laisse rouler à côté de Marco.

Je le regarde. Il respire avec difficulté. Et il est blanc... comme un iceberg!

À ce moment-là, Mathieu arrive près de moi.

—Tu n'as pas trop mal?

Doucement, je fais signe que non.

—Mais qu'est-ce qui t'a pris? On n'est pas dans un film. On ne se jette pas sur le monde comme ça. Imagine, il aurait pu se faire une fracture du crâne.

Marco marmonne alors:

—Je ne pensais pas qu'un sac de carottes... ça pouvait frapper aussi dur.

—Mais l'entends-tu? Il recommence!

Et j'essaie de me retourner pour lui donner un coup de poing, mais je suis arrêté dans mon mouvement: je crois que ma tête va éclater.

—Laisse donc faire, me dit

Mathieu qui commence à s'impatienter. Tu vois bien qu'il aime ça te faire enrager. Viens, je vais t'aider à te lever et on s'en va.

Je commence par m'asseoir. Les arbres, les voitures, Mathieu, tout tourne autour de moi. J'ai une envie de vomir... Je ferme les yeux. C'est vingt fois pis. Je me croirais sur le pont d'un bateau en pleine tempête.

—Je... je pense... que je vais vomir, dis-je en mettant ma main sur ma bouche.

—Retiens-toi un peu, Francis, me demande Mathieu énervé. Prends de grandes respirations. Je vais te faire du vent avec mon cahier de français.

Il se précipite sur son sac d'école pour l'ouvrir. Mais je sens que je ne pourrai pas attendre qu'il revienne parce que mon estomac a un premier haut-le-cœur. J'attrape la première chose qui me tombe sous la main, j'y penche ma tête et je vomis.

Mon front se couvre de sueur et un grand frisson me parcourt jusqu'au bas du dos. C'est vraiment désagréable d'être malade.

—Es-tu fou? me crie Marco en se tenant encore le ventre à deux mains. As-tu vu dans quoi tu as vomi?

Ah! non... C'était dans sa casquette!

Il me la retire brusquement des mains, la secoue sur la pelouse, puis se relève avec effort et part sans être capable de se redresser complètement.

—Je pense que tu n'entendras plus parler de lui de toute l'année, dit Mathieu avec un fin sourire.

Même si j'ai l'impression que mon cerveau flotte dans la gélatine, je réussis malgré tout à lui rendre son sourire. J'ai bien défendu la mémoire de grand-papa.

# 8

# Transformé en tourniquet

Je reste assis sur la pelouse pendant encore une bonne demi-heure. Mathieu a sorti de son sac ses cartes de joueurs de base-ball et les regarde en attendant que je reprenne des forces. Il m'apprend qu'il en possède plus de 850! Il les classe par équipes dans un cahier aux feuilles plastifiées.

Mais son vrai plaisir, c'est de les échanger. Une fois, il en a même cédé quinze contre une seule! Mais ça valait la peine puisqu'il obtenait la carte du meilleur lanceur de la ligue de base-ball.

—Est-ce que ton ventre a retrouvé sa place, Francis?

—Oui, je devrais être capable de rentrer.

—Où va-t-on à présent?

—À vrai dire, si ça ne te dérange pas, j'aimerais aller chez toi. Ce n'est pas très gai ces temps-ci à la maison. Maman est toujours triste.

Nous prenons donc la direction de chez Mathieu. Je pense à ma mère et je m'en veux un peu de m'arranger pour ne pas la voir. Mais elle n'est plus comme avant depuis la mort de grand-papa. Elle a beaucoup, beaucoup de chagrin maintenant que son père est parti.

Moi qui suis habitué à l'entendre nous raconter les prouesses de ses élèves de gymnastique, je ne la reconnais plus. Le matin, elle se lève les yeux rougis et passe son temps à regarder dans le vague. C'est comme si on avait tous cessé d'exister.

Je sais bien que maman pense sans arrêt à grand-papa. Parfois, elle revient sur terre et me fait un grand sourire. Comme pour s'encourager elle-même. Alors, je lui en fais un moi aussi, encore plus grand, pour qu'elle ait moins de peine. Si on pouvait, juste en se concentrant très fort, faire revivre les gens qu'on aime, grand-papa serait de retour depuis longtemps.

—Zut et triple zut! s'exclame Mathieu quand nous arrivons chez lui. On peut dire adieu à notre belle tranquillité. Papa a eu le temps de rentrer du travail.

Et il pousse la porte avec mécontentement.

—Salut les inséparables! dit Annie en nous apercevant du salon.

La mère des trois bettes est en train d'installer la chaîne stéréo. Je m'approche pour la saluer quand d'un coin surgissent en criant Jeannette et Juliette qui me font sursauter. Elles me prennent chacune par la main et m'obligent à tourner sur moi-même à toute vitesse. Oh! non...

le mal de cœur qui recommence. Je jette un regard désespéré à Mathieu qui m'indique la direction de la salle de bains. J'essaie de m'échapper, mais les fillettes s'accrochent à mes bras.

—Lâchez-le donc! hurle mon ami en les bousculant. Vous voyez bien que vous le rendez malade. Espèces de sangsues!

Jeannette et Juliette me regardent et me libèrent aussitôt. Pour qu'elles fassent si vite, c'est que je ne dois pas être beau à voir! De toute façon, je n'ai qu'une idée en tête, et je fonce.

Pendant que je récupère, assis par terre près de la toilette, j'entends Annie demander à Mathieu:

—Mais qu'est-ce qu'il a, Francis? J'ai eu à peine le temps de l'apercevoir.

—C'est à cause d'elles! répond-il, bourru. Elles l'ont pris pour un tourniquet. Il faudrait qu'elles se calment un peu.

—Mathieu, ne me parle pas sur ce ton-là. Ça m'étonnerait beaucoup que tes sœurs l'aient rendu malade aussi vite. Il doit couver quelque chose. Va donc le voir un peu. Après, Yvon t'attend à la cuisine. Il y a des boîtes à défaire.

—C'est dommage, mais je ne pourrai pas aider papa tout de suite. Si, comme tu le dis, Francis prépare une maladie, il ferait mieux d'aller prendre l'air... Et je ne peux pas le laisser tout seul! lance-t-il avant de s'éloigner.

—Mathieu! appelle aussitôt Annie exaspérée.

Mais au lieu de lui répondre, il vient me rejoindre.

—Ça va mieux? La vidange est terminée?

—Ne te moque pas de moi. Je voudrais te voir à ma place.

—Viens, je vais te montrer mon repaire. Mais on devrait peut-être apporter une bassine au cas où... Tu sais, jamais deux sans trois!

Je réplique en me relevant lentement:

—Je te dis, toi, une chance que je te connais parce que je ne me gênerais pas pour piquer une tête dans ton estomac.

—Essaie donc pour voir, dit-il en attrapant une serviette de bain et en l'agitant devant moi comme le font les toréadors pour provoquer le taureau.

Je ne peux pas m'empêcher de sourire, et je lui réponds d'un ton supérieur:

—Monsieur Mathieu Leblanc, je vais vous épargner pour cette fois...

Et j'ajoute en faisant la grimace:

—Du vomi, j'en ai assez vu pour aujourd'hui!

# 9

# Un remède contre la peine

Discrètement, Mathieu m'entraîne dehors par la porte de derrière. Nous allons nous asseoir sur les marches de l'escalier de secours.

—Voici mon refuge! Le seul et unique endroit où les deux bettes ne viendront pas. Elles ont bien trop peur de tomber.

En jetant un coup d'œil vers le bas, je comprends alors ce que doit ressentir un oisillon quand il est perché tout en haut sur le bord de son nid. Heureusement, on ne me demandera pas de voler!

—Et la troisième bette? Elle ne vient pas te déranger?

—Violette? Elle n'est jamais là, et heureusement pour moi! Elle est entrée au secondaire il y a deux jours et déjà elle a trouvé une amie chez qui aller écouter de la musique. Une vraie comète... Mais, Francis, peux-tu me dire ce qui t'est passé par la tête tout à l'heure? Tu ne m'as toujours rien expliqué. En tout cas, il va bien falloir qu'un jour tu t'habitues à la couleur de tes cheveux.

La tête baissée, je réponds avec de la colère dans la voix:

—Ce n'est pas juste à cause de ça... C'est parce que Marco s'est moqué de grand-papa et de sa famille... Il n'y a pas une personne sur la terre qui va dire du mal de mon grand-papa!

Et je relève la tête, des boulets de canon plein les yeux.

—Ouais... fait Mathieu. Mon truc de penser au meilleur souvenir que tu as de ton grand-père n'a pas donné de très bons résultats. La seule différence, c'est que, maintenant, au lieu de pleurer, tu fonces dans le tas!

Mathieu n'a eu qu'à prononcer le mot pleurer pour que mes yeux recommencent à picoter. Je ne sais plus quoi faire avec mon chagrin. C'est comme s'il fallait que je tienne un transatlantique à bout de bras. C'est trop lourd...

—Où est-il enterré, ton grand-père? me demande Mathieu.

—Euh... pas loin d'ici. Dans le cimetière à côté du vieil hôpital.

—Parfait! Tu m'as bien dit l'autre soir qu'il avait rêvé de devenir marin?

—Oh! oui, c'est certain. Malheureusement, son père l'a obligé à venir travailler dans son magasin. Dans ce temps-là, les parents décidaient souvent de la vie de leurs enfants.

—Dans ce temps-là, dans ce temps-là... répète mon ami avec humeur, on dirait que mon père vit encore dans ce temps-là. Il s'est trompé de siècle quand il est né!

—Arrête d'y penser, Mathieu. Tu te fais enrager pour rien.

—Tu as raison, surtout que ce n'est pas de lui dont je veux te parler, mais de ton grand-père. Si tu l'aidais à réaliser son rêve?

—Qu'est-ce que tu veux dire? Tu sais bien que grand-papa est mort!

Le mot résonne dans ma tête comme le choc d'un récif contre la coque fragile d'un bateau.

—Justement, je veux aider ton grand-père à trouver la paix, m'explique Mathieu. Tu as entendu parler de ces histoires où l'on raconte que les morts viennent hanter les vivants parce qu'ils n'ont pas réussi à accomplir tout ce qu'ils voulaient faire dans leur vie.

—Voyons, c'est seulement dans les films d'horreur qu'on voit ça. Grand-papa ne s'est pas transformé en fantôme. Il ne vient pas me chatouiller les orteils la nuit!

—Peut-être que non. Mais je sais qu'il ne quitte pas tes pensées. Et essaie de me dire le contraire, Francis Gauthier-O'Reilly!

Je ne peux vraiment rien cacher à mon meilleur ami. C'est vrai que grand-papa est toujours là avec moi.

—Et, dans le fond, même si ça permet, juste à toi, de trouver la paix, ajoute Mathieu, ça vaut vraiment la peine.

Après un long moment de silence, je lui demande d'un ton faussement impatienté:

—Alors, qu'est-ce que tu attends pour m'en parler, de ta fameuse idée?

# 10

# Le grand soir

Transformer la tombe de grand-papa en voilier! La voilà l'idée de mon ami Mathieu. Permettre à mon grand-père de naviguer pour le reste de l'éternité!

Après en avoir beaucoup discuté, nous avons fini par simplifier la décoration de la pierre tombale. Installer la première construction de Mathieu aurait pris des heures, et le gardien du cimetière se serait sûrement rendu compte de notre présence. Alors, nous avons décidé de fixer uniquement une grande voile blanche sur la tombe de mon grand-papa.

Nous avons passé la journée d'hier à confectionner cette voile. En cachette, Mathieu a récupéré un rideau blanc de l'ancienne chambre de son père. Il s'en est donné à cœur joie quand il a fallu couper le tissu!

Dans la cave chez moi, j'ai trouvé un vieux bâton de vadrouille dont je me servais pour jouer au drapeau. Mathieu, lui, a scié le manche du balai à moitié chauve qui traînait sur la galerie d'en arrière. Rendus au cimetière, nous avons l'intention de les mettre bout à bout puis de les faire tenir avec du ruban adhésif. Nous obtiendrons ainsi un mât très solide.

Pour faciliter notre expédition de cette nuit, Mathieu m'a invité à dormir chez lui. Comme demain c'est samedi, les parents n'ont émis aucune objection. D'autant plus que Sylvain, le grand frère de Mathieu, est parti pour la fin de semaine. J'ai donc pu prendre son lit.

Il est bientôt l'heure d'aller nous coucher, mais il nous faut encore terminer la couture du rebord de la voile.

—Aïe! s'écrie Mathieu. Je viens encore de me piquer.

—Écoute-moi bien, Mathieu, lui dis-je d'un ton très sérieux. Je crois que tu n'as pas vraiment compris ce qu'il faut faire... C'est le tissu que tu dois piquer avec ton aiguille. Pas ton doigt!

Et nous pouffons de rire.

—Les garçons, éteignez la lumière, ordonne une voix de l'autre côté de la porte. C'est le moment de dormir.

—Peux-tu m'expliquer pourquoi, le soir, mon père me demande toujours d'éteindre quand il m'entend m'amuser?

—Je ne sais pas du tout. Mon père nous a dit la même chose quand on campait dans ma chambre. Peut-être que... si on pleurait la prochaine fois, on nous laisserait veiller plus longtemps!

Mathieu se plaque la main sur la bouche pour ne pas éclater de rire.

Pour éviter d'être découverts, nous enfilons notre haut de pyjama par-dessus nos vêtements et nous nous glissons sous les couvertures.

—C'est ce soir le grand soir, chuchote Mathieu.

—Es-tu vraiment certain que personne ne peut nous entendre quand on va sortir dehors?

—Absolument sûr. Papa et Annie ont loué deux films, ils ont la grosse douillette jusqu'au cou et le maïs soufflé sur les genoux! Rien ne peut les faire bouger. Mon père me l'a assez répété. «Le vendredi soir, c'est notre soirée. Nous ne voulons pas être dérangés», dit-il en imitant la voix basse d'Yvon. Fais-moi confiance, Francis, ils en ont au moins jusqu'à deux heures du matin.

—Il ne nous reste plus qu'à attendre alors.

—Dans une demi-heure, ma montre va sonner le départ. Ne t'endors pas d'ici là.

—Pour qui me prends-tu? De toute façon, je suis beaucoup trop excité pour m'endormir.

À vrai dire, j'ai aussi un peu peur. Je ne suis jamais sorti très loin en pleine nuit. C'est bien parce que j'aime mon grand-papa et que je veux lui faire un dernier cadeau que j'ai accepté d'aller me promener à cette heure-là dans un cimetière. Brr... J'espère que c'est totalement faux les histoires de squelettes et de revenants qui dansent autour des tombes.

Mathieu me fait sursauter en me demandant:

—À quoi tu penses?

—Aux... aux mauvais esprits.

—Toi aussi!

Au même moment, la montre de Mathieu sonne.

—Déjà? nous exclamons-nous en même temps.

—On peut toujours y aller samedi, suggère mon ami d'une voix mal assurée.

J'hésite un instant puis je réponds:

—Grand-papa me disait toujours qu'il ne faut jamais remettre à demain ce qu'on peut faire aujourd'hui. Alors...

—Bon, bon, j'ai compris, marmonne Mathieu en sautant du lit.

Le plus discrètement possible, nous vérifions le contenu de nos sacs à dos. En tout, nous avons: deux lampes de poche, du ruban adhésif, du maquillage noir pour notre camouflage, deux tuques de couleur foncée pour remplacer nos casques de vélo trop voyants, et du fil de fer que nous allons glisser dans l'ourlet pour faire tenir la voile bien droite.

La vérification terminée, Mathieu entrouvre lentement la porte. Un filet de lumière s'infiltre dans la chambre. Nous tendons l'oreille.

Aucun bruit. Je décide de passer le premier.

Je n'ai pas fait deux pas en dehors de la pièce qu'une main m'agrippe par l'encolure de mon chandail et me ramène brusquement dans la chambre.

—Tête en l'air! lance Mathieu, mécontent. Je t'avais dit de t'habiller tout en noir.

—Mais c'est ce que j'ai fait!

—Tu as oublié de mettre ton chandail à l'envers, gros cornichon. Tu as un énorme «Super» fluorescent écrit dans le dos.

Penaud, je m'empresse de corriger mon erreur. Cette fois, je me rends sans encombre jusqu'à la porte de derrière. Mathieu me suit de près et nous sortons sur la galerie. Devant moi se profile la silhouette sombre de l'escalier de secours. Je demande d'un ton hésitant:

—Il faut vraiment descendre par là?

—Évidemment! À moins que tu ne préfères sauter.

Je ne sais pas comment Mathieu peut faire des farces dans un moment pareil. Il ajoute:

—Il n'y a pas juste toi qui connais des cascades de film d'aventures.

Et il s'élance dans l'escalier qui s'abaisse à toute vitesse jusqu'au rez-de-chaussée. Je descends à mon tour en tenant fermement la rampe. Mathieu est appuyé contre le mur et m'attend.

—On va chercher les bicyclettes?

Pas de réponse. Je me retourne vers mon ami. Les yeux ronds, il fixe le vide.

—Qu'est-ce que tu as?

—La prochaine fois... je ne... descends pas... aussi vite. J'ai eu assez peur de tomber, termine-t-il dans un souffle.

—Moi qui croyais que tu l'avais déjà fait plusieurs fois.

—Eh! non. Ça m'apprendra à me montrer plus brave que je ne le suis,

conclut-il en se dirigeant vers nos bicyclettes.

Après avoir déverrouillé les cadenas, nous enfourchons nos vélos, et nous nous engageons silencieusement dans la ruelle sombre.

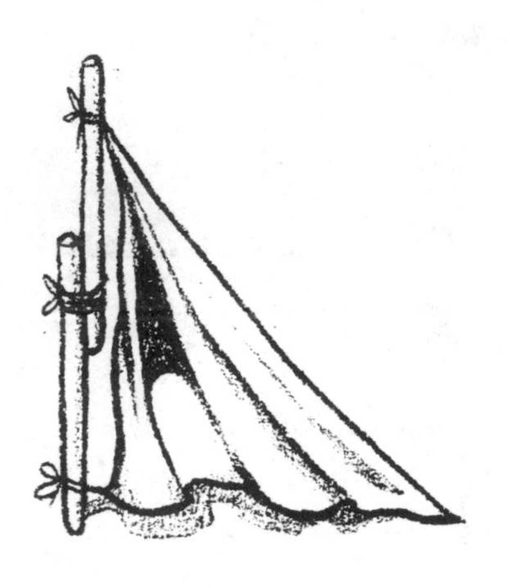

## 11

# L'Everest est en ville

Je roule devant puisque c'est moi qui connais le chemin. À cette heure-ci, il n'y a pas trop de voitures et nous pouvons circuler rapidement. Nous faisons malgré tout quelques détours pour éviter les boulevards bien illuminés.

Je pédale d'un rythme régulier et j'essaie de me concentrer sur ma respiration. Ça m'empêche de trop penser et d'imaginer toutes sortes de dangers lorsque je dépasse des portes cochères mal éclairées et qu'une odeur de froide humidité me frappe au visage.

Les immigrants irlandais qui traversaient l'Atlantique dans les cales des bateaux devaient ressentir cette même insécurité et cette même grande hâte d'arriver au but. Si la famille de mon grand-papa a réussi à survivre à la traversée de l'océan, alors moi aussi je suis capable de survivre à une visite la nuit dans un cimetière. D'autant plus que mon meilleur ami m'accompagne.

Nous arrivons enfin à l'hôpital. L'édifice est entouré d'un mur de briques haut d'au moins quatre mètres.

—Ce n'est pas en se faisant la courte échelle qu'on va passer de l'autre côté! constate Mathieu en me rejoignant.

—Le cimetière est un peu plus loin. Suis-moi!

Nous longeons le terrain jusqu'à une clôture grillagée. Derrière elle, j'aperçois une grande croix. C'est là.

La nuit est silencieuse. Un peu de lumière s'échappe des fenêtres de l'hôpital. Dans le cimetière, il fait noir comme au fond de la mer. Seules quelques taches plus claires percent l'obscurité: les pierres tombales.

J'ai la gorge sèche. J'avale ma salive et, d'un ton que je veux convaincant, je dis à Mathieu:

—On est arrivés. On ne peut plus reculer maintenant.

Malgré la noirceur, mon ami me regarde dans les yeux et me répond avec tout le courage dont il est capable:

—D'accord, Francis. Je monte le premier. Avertis-moi si quelqu'un vient.

La clôture grillagée mesure environ trois mètres. Tout en haut, il y a une rangée de ces satanés piquants qui ont été inventés uniquement pour arracher le fond d'un pantalon ou trouer le dos d'un chandail. Mathieu devra faire très attention.

Mon ami commence de grimper. Mais le bout de ses souliers est trop rond, et Mathieu ne cesse de retomber sur le sol. Pendant ce temps, je jette un coup d'œil autour de moi dans l'espoir de trouver un endroit où dissimuler nos bicyclettes. J'aperçois alors, juste un peu plus loin, une petite porte. Elle est ouverte. Et elle conduit directement au cimetière!

—Mathieu!

Ma voix résonne dans le silence. Trop excité, j'avais oublié que je ne devais pas crier. Surpris par mon appel, Mathieu sursaute et glisse jusqu'en bas de la clôture.

Je cours vers lui et l'aide à se relever.

—Ça va?

—Non, ça ne va pas, répond Mathieu de mauvaise humeur. Je me suis écorché les deux mains. Qu'est-ce qui te prend de crier comme ça?

Avec enthousiasme, je lui fais part de ma découverte. Il réagit aussitôt:

—Tu n'aurais pas pu trouver cette porte plus tôt, non? Quand je pense que je me tuais à escalader l'Everest! Dépêche-toi de me montrer cette entrée. Avec tout le bruit qu'on fait, on pourrait réveiller les morts.

—Ne dis pas ça, Mathieu.

—Excuse-moi, ça m'a échappé. Tu sais bien que j'ai aussi peur que toi.

Nous reprenons nos vélos, et nous nous faufilons immédiatement par la petite porte. Nous butons contre une nouvelle clôture. Heureusement, nous pourrons sans difficulté la franchir.

Cette fois, avant de grimper, nous commençons par détacher du cadre de nos bicyclettes les deux bouts de mât, et la voile que nous avions enroulée autour de l'un d'eux. Puis nous ouvrons nos sacs à dos. Dans notre énervement de tout à l'heure, nous avions oublié d'enlever nos casques et de mettre nos tuques. Nous pensons aussi à camoufler notre

visage grâce au contenu de la trousse de maquillage. Pour une fois qu'elle sert un autre soir que celui de l'Halloween!

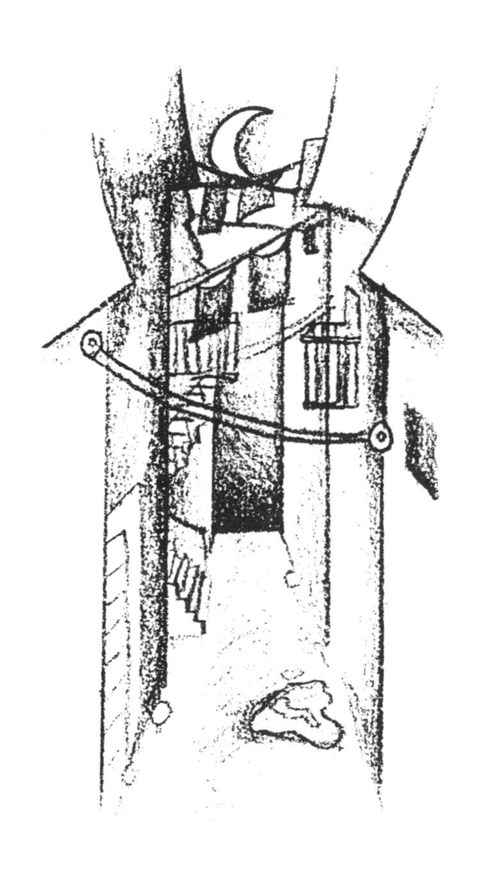

# 12

# Tombe par-ci, tombe par-là

Après avoir fait passer le matériel de l'autre côté, nous cachons nos bicyclettes derrière des arbustes. Puis une petite escalade de rien du tout, et nous voilà rendus dans le cimetière. Sans attendre, nous assemblons la voile et l'appuyons contre la clôture. Nous sommes prêts! Enfin presque...

—Tu ne trouves pas qu'il fait plus froid tout d'un coup? murmure Mathieu d'une voix craintive.

—Peut-être un peu, oui.

Ni Mathieu ni moi n'osons aller de l'avant. D'immenses arbres entourent le cimetière, comme pour nous isoler du reste du monde. Les bruits de la ville, si rassurants, ne parviennent pas jusqu'ici. Nous n'entendons que les craquements des branches. À moins que ce ne soit ceux des os des squelettes...

—Mathieu, on ne doit pas rester ici sans bouger, lui dis-je. C'est pire. Si on n'avance pas, je crois que je vais faire pipi dans mon pantalon.

—Je pense que tu as raison. Puisqu'on a atteint notre but, il ne faut pas s'arrêter maintenant. Des morts, ça ne saute pas sur le monde. En tout cas, je l'espère...

—D'ailleurs, plus vite on installera la voile, plus vite on pourra repartir. Si on continue à ce rythme-là, on va être obligés de revenir demain soir.

—Jamais! Plutôt mourir.

—Ne parle pas de ça, idiot!

—Excuse-moi, Francis. Je ne fais vraiment pas exprès, ça sort tout seul... Alors, ton grand-père, où est-il enterré?

—Je ne sais pas.

—Quoi? s'écrie Mathieu en se retournant vers moi. Dis-moi que j'ai mal compris.

Je lui explique, un peu gêné, que je pleurais tellement aux funérailles de mon grand-père que je ne suis pas allé au cimetière.

—Si je comprends bien, tu es en train de me dire que tu n'as aucune idée de l'endroit où se trouve la tombe de ton grand-père.

Embêté, je hausse les épaules et je réponds:

—Heureusement, on a les lampes de poche. Ça va nous aider pour lire les noms.

Mathieu pousse un grand soupir et, sans rien ajouter, il commence à circuler entre les pierres tombales à la recherche de l'inscription chanceuse. Je prends ma lampe de poche et j'emprunte une autre allée.

Ça me fait bizarre de voir tous ces noms de personnes disparues. Des hommes, des femmes, «À mon époux bien-aimé», «À mon épouse chérie», «À notre sœur dévouée»... Il y en a même qui sont nés dans les années 1800.

C'est drôle parce que, plus je déchiffre ce qui est écrit, moins je me sens angoissé. Comme si en prononçant le nom des morts je redonnais un peu de vie à ces gens-là. Quand ils étaient vivants, ils ne pouvaient pas être tous méchants. Alors pourquoi le deviendraient-ils maintenant?

Mathieu vient me rejoindre pour me demander:

—Et puis? As-tu trouvé la tombe de ton grand-père?

—Non, pas encore.

—Il faudrait se dépêcher. On va finir par se faire remarquer. Et il vente de plus en plus. J'entends toutes sortes de bruits et je n'aime pas ça.

—Le cimetière n'est pas très grand en fin de compte. On devrait avoir terminé bientôt. On va continuer ensemble. Ce sera plus rassurant.

D'accord, les morts m'effraient un peu moins, mais je n'ai pas dit que je préférais leur compagnie à celle de mon meilleur ami!

Nous entreprenons donc une nouvelle allée. À la troisième pierre tombale, Mathieu, qui me précède, s'immobilise.

— Qu'est-ce qu'il y a? Tu as trouvé la bonne tombe?

Sans un mot, Mathieu tend le bras vers l'autre extrémité du cimetière. Je regarde dans cette direction et je reste bouche bée.

— Un... fan... tôôôme!

Une grande forme blanche vole au-dessus des tombes. Elle bondit vers le ciel puis pique vers le sol pour remonter aussitôt.

Nous nous jetons sur la terre humide en essayant de nous dissimuler derrière la pierre tombale. Je

ferme les yeux et cache ma tête entre mes bras. Si le fantôme ne nous remarque pas, peut-être va-t-il retourner d'où il vient. Peut-être voulait-il seulement prendre un peu l'air.

Les battements de mon cœur font plus de bruit que le fracas des vagues contre les rochers en Gaspésie. Le fantôme ne peut pas me voir, mais il va sûrement m'entendre!

Je reste bien dix minutes le nez pressé contre le sol. Quand je pense que je suis couché sur une tombe. Brrr...

À l'idée de passer la nuit dans cette position, je finis par avoir le courage de jeter un coup d'œil par-dessus la pierre tombale.

Plus de trace de fantôme. Je me retourne et dis à Mathieu:

—C'est fini. Il est parti.

Rassuré, Mathieu se relève.

—Ce n'est pas VRAI! crie-t-il en se jetant par terre.

Je regarde aussitôt... pour voir notre fantôme s'écraser contre un monument funéraire. Brusquement, je comprends.

—Mathieu... Mathieu, je te jure que tu peux te relever. Le fantôme, c'était notre voile. Le vent l'avait emportée.

—Tu... tu en es sûr?

Je lui réponds par un oui convaincant.

—Je ne comprends pas que je n'y aie pas pensé, se reproche-t-il en secouant son pantalon couvert de terre. Croire aux fantômes, à mon âge!

—Tu sais, c'est très excusable dans un endroit pareil. J'y ai cru moi aussi.

—Mais il y a autre chose d'étrange ici.

—Quoi? Une main de squelette t'a chatouillé le nombril pendant que tu étais couché par terre?

—Je suis sérieux, là, Francis,

réplique-t-il. Personne n'a été enterré dans ce cimetière depuis le début des années 1970! Tu n'as pas remarqué la date des décès?

Je n'ai pas encore tout à fait réussi à comprendre le sens de sa découverte que nous entendons du bruit. Pas des hou! hou! de revenants. Des vrais bruits de gens qui s'approchent.

Sans nous consulter, nous nous précipitons derrière une statue en espérant qu'elle soit assez imposante pour nous cacher tous les deux. Nous nous serrons l'un contre l'autre et je ne sais plus si c'est moi ou Mathieu qui tremble. En mer, les passagers clandestins doivent ressentir la même anxiété lorsque l'équipage fait l'inspection du navire.

J'entends le bruit d'une chaîne qu'on retire puis le grincement d'une porte de métal qui s'ouvre. C'est sûrement le gardien, et il vient d'entrer dans le cimetière. Nous sommes perdus!

# 13

# Surprise!

—Qui que vous soyez, sortez de là! Ou j'appelle la police, crie une grosse voix d'homme.

Nous ne bougeons pas d'un millimètre, sauf pour nous coller encore plus.

Le gardien s'avance de quelques pas puis, à l'aide d'une puissante torche électrique, il se met à balayer le terrain. Heureusement, il commence par l'autre extrémité du cimetière.

Nous pensons un moment en profiter pour nous échapper, mais, de ce côté, la clôture est beaucoup trop haute. Je regarde Mathieu, désespéré.

Le faisceau lumineux se rapproche. Je me vois déjà jeté au fond d'un cachot sale et puant...

—Mathieu! lance une voix forte.

Mon ami me regarde incrédule.

—Papa?

—Oui, c'est moi, répond Yvon de l'entrée du cimetière. Francis est-il avec toi?

Je réponds par un oui timide.

—Je suis avec le gardien, explique-t-il. Sortez de votre cachette! J'ai hâte de partir d'ici. Ce n'est pas mon endroit préféré pour une sortie du vendredi soir.

Nous n'avons pas d'autre solution que d'obéir. La tête basse, nous nous dirigeons lentement vers eux. Je sens que nous allons passer un mauvais quart d'heure. Ce serait le moment, là, qu'un méchant revenant se manifeste!

Yvon ne semble pas avoir la patience de nous attendre parce qu'il s'avance vers nous à grandes enjambées. Mathieu a un mouvement de recul. Mais son père est plus rapide que lui, et il le prend dans ses bras en le serrant très fort contre lui.

—Mathieu... Francis, ajoute Yvon en passant son bras autour de mon cou. Comme je suis content de vous retrouver. Vous m'avez fait une peur bleue. Imaginez ce que j'ai pu penser quand, après le premier film, je suis allé voir si vous dormiez bien. La chambre était vide!

—Mais comment nous as-tu retrouvés? demande Mathieu très étonné.

—Grâce à ta grande sœur! Elle n'était pas chez une amie mais dans sa chambre le jour où vous avez discuté de votre expédition. Par la fenêtre ouverte, elle a tout entendu.

—La troisième bette? ne puis-je m'empêcher de dire.

Une silhouette sort de l'ombre et une lampe de poche vient éclairer un visage. Des cheveux noirs raides, des yeux en forme d'amande, un sourire moqueur...

Je me mets à bredouiller:

—C'est... c'est... ta demi-sœur? Elle... elle ne ressemble pas aux deux autres.

—Tu as un bon sens de l'observation! répond Mathieu taquin. À vrai dire, je n'avais jamais pensé de te dire que Violette est née au Cambodge. Annie l'a adoptée bébé.

—Eh oui, Francis! Je suis bien la troisième bette! vient-elle confirmer en souriant malicieusement.

Heureusement qu'il fait noir parce que c'est moi qu'on aurait traité de betterave! J'ai dû rougir jusqu'à la racine de mes cheveux. Plus jamais, non plus jamais, je n'appellerai Violette la troisième bette. Elle est beaucoup trop belle pour ça...

—Bon, nous aurons tout le temps un autre jour pour les présentations, dit Yvon en interrompant mes pensées. Les garçons, ramassez vos affaires. Nous retournons à la maison. Pour la tombe de ton grand-père, Francis, nous en parlerons avec tes parents demain. Nous trouverons sûrement une solution. Et ne me refaites jamais un coup comme celui-là, conclut-il avec des menaces dans la voix.

En quelques minutes, tout le matériel est ramassé, et les vélos placés dans le coffre de la voiture. Dans l'auto, je lutte contre le sommeil et j'entends comme dans un rêve ce que Mathieu demande à son père:

—Tu es vraiment venu dans ma chambre vérifier si je dormais?

—Bien sûr. J'y vais tous les soirs, Mathieu. Depuis ta naissance, tu as la mauvaise habitude de sortir complètement de tes couvertures quand tu dors. Alors, moi, j'ai pris l'habitude d'aller te recouvrir. Je ne veux pas que tu aies froid.

—Tu ne me l'avais jamais dit que tu venais me voir aussi souvent.

—Tu as peut-être raison, reconnaît son père. Je ne savais pas que ça pouvait être important pour toi de l'apprendre.

—C'est vrai que tu ne sais pas tout, papa, murmure-t-il.

Et j'entends Mathieu se caler dans un coin pour s'endormir. Cette nuit, je n'ai pas réussi à donner la paix à grand-papa et j'en suis un peu triste. Je n'ai pas trouvé sa pierre tombale pour la transformer en voilier pour l'éternité.

Mais j'ai aussi le cœur léger parce que, même si mon grand-papa est mort, il continue de m'aider. Car c'est grâce à lui que mon meilleur ami est un petit peu plus heureux ce soir.

Si nous n'étions pas allés au cimetière en pleine nuit, Mathieu n'aurait pas encore la preuve que son père tient à lui. Maintenant qu'il le sait, il sera peut-être capable de parler avec Yvon de ce qui lui fait mal.

## 14

# Le testament de la confiance

Nous avons dormi longtemps ce matin. Quand je me suis réveillé, mes parents m'attendaient dans la cuisine. Ils parlaient avec Yvon et Annie en prenant un café.

En me voyant, ma petite sœur Élodie sort de dessous la table et vient s'accrocher à mon cou.

—Bonjour, les aventuriers! dit ma mère en souriant. Yvon nous a parlé de votre randonnée nocturne. Estimez-vous chanceux que tout se soit bien terminé. J'espère que vous en êtes conscients.

Nous approuvons timidement.

—D'autant plus que vous auriez

pu y passer la nuit. Savez-vous que vous ne cherchiez même pas dans le bon cimetière? On n'enterre plus personne depuis des années à l'Hôpital général!

Mathieu me jette un regard triomphant. Je saisis enfin ce qu'il a voulu me faire comprendre juste avant que nous soyons découverts.

—En ce qui concerne la décoration de la tombe, continue-t-elle, j'en ai parlé avec ton père, Francis. Je trouve l'idée du voilier intéressante, mais c'est impossible à réaliser dans un cimetière. Seriez-vous d'accord tous les deux si nous faisions plutôt graver un beau grand navire sur la pierre tombale de grand-papa?

Sans hésiter, nous répondons par un «oui» sonore. Et j'ajoute avec entrain:

—Je l'imagine déjà. Un fier quatre-mâts... Majestueux! Nous en avions monté un ensemble, grand-papa et moi. C'était notre préféré.

—Bon, tout est réglé alors, dit mon père satisfait. Francis, prépare-toi maintenant. Nous devons nous rendre chez le notaire pour la lecture du testament.

—Wow, me chuchote Mathieu à l'oreille, tu vas peut-être hériter d'une fortune.

—Ou d'un trésor de pirates!

J'avale donc mon bol de céréales en vitesse puis nous partons pour le rendez-vous. Dans un édifice près du port, un jeune notaire nous fait entrer dans un grand bureau aux larges fenêtres. Après avoir expliqué certains détails à mes parents, il sort les papiers de mon grand-père et en commence la lecture. C'est le notaire qui parle, mais j'entends la voix de grand-papa qui dit:

«Moi, Benjamin O'Reilly, sain de corps et d'esprit, je lègue à ma fille unique Marie O'Reilly la totalité de mes biens.

«À mon petit-fils Francis Gauthier-

O'Reilly, je lègue mes outils de bricolage qui l'aideront à fabriquer de beaux bateaux miniatures ainsi que toute ma collection de navires déjà terminés. Je lui laisse aussi en souvenir ma casquette de capitaine et mes jumelles qui lui rappelleront nos promenades si agréables au bord de l'eau. Je lui confie mes livres sur la mer pour qu'il les lise à sa sœur Élodie que je n'ai pas eu la chance de connaître assez longtemps.

«Francis, mon moussaillon, ne sois pas trop triste de mon départ. Je ne suis plus là mais la mer, elle, sera toujours là pour toi. À partir d'aujourd'hui, c'est à toi que revient le privilège de faire partager à tous notre amour du long fleuve et des vastes océans. Comme ta jeune sœur, tu portes le nom des O'Reilly, ce qui me rend très fier. Francis, mon petit voilier tout blanc, à toi maintenant de prendre la relève.

«À Élodie Gauthier-O'Reilly, je

lègue ma montre de poche qu'elle aimait tant coller contre son oreille ainsi que...»

On dirait que grand-papa se trouve dans la pièce avec nous. Maman détourne la tête vers moi et pose sa main sur la mienne. Son regard est si doux. Pour la première fois, je me rends compte qu'elle a les mêmes yeux que son père.

Je suis tout bouleversé. Mais en même temps une joie très vive grandit de plus en plus en moi. Je pense aux merveilleux cadeaux que grand-papa m'a laissés. Et je me sens fort. Comme une chute qui bondit, gonflée par les pluies du printemps.

Ce que mon grand-père me donne est mille fois plus précieux qu'une immense fortune ou un trésor de pirates. Grand-papa me lègue sa confiance.

Je n'ai plus de chagrin parce que je sais que, chaque fois que je parlerai de la mer à Élodie, grand-papa sera avec moi. Et Mathieu regardera sûrement avec beaucoup de plaisir les beaux livres qu'il m'a confiés. Peut-être même que la troisième... euh!... Violette aux yeux d'amande viendra me voir pour les consulter.

Demain, Mathieu et moi, nous partons en expédition. Nous roulerons à vélo jusqu'au Vieux Port et nous embarquerons sur le traversier. Mathieu portera les jumelles à son cou et, moi, bien droite sur ma tête, la casquette de capitaine de grand-papa.

FIN

Typographie et mise en pages:
Les Éditions du Boréal

Achevé d'imprimer en octobre 1993
sur les presses des Ateliers graphiques
Marc Veilleux, à Cap-Saint-Ignace, Québec